LA COURSE SUR LA BANQUISE

Texte d'Agnès de Lestrade
Illustrations de Julie Mercier

Nathan

Coucou ! Moi, c'est Lucas ! J'adore découvrir et apprendre un tas de choses. Plus tard, je serai un inventeur de génie !
Salut ! Je suis Chloé, la petite sœur de Lucas. Je suis une vraie casse-cou ! Plus tard, je serai une grande aventurière !

Pars avec nous à la découverte... ... de l'Arctique !

Lucas et Chloé partent avec leur cousine, étudiante
en géographie, près du pôle Nord !
Ils ont tout ce qu'il faut pour affronter le froid dans leur sac.

Au bout d'un long voyage, ils arrivent enfin en Arctique. Nouk, un Inuit, ami de leur cousine, les accueille dans la maison de sa famille.

Salut, Tala !
Que fais-tu ?

Après une bonne nuit de sommeil, les deux enfants
prennent rapidement leur petit déjeuner.
Ils sont impatients de découvrir le désert de glace !

Devant la maison, ils croisent Tala, la fille de Nouk,
qui leur explique qu'elle va participer à une grande
course de traîneaux.

Tala veut absolument gagner cette course car son père
et son grand-père l'ont remportée avant elle. Il s'agit
d'un jeu de piste : le gagnant est le premier à trouver

quatre drapeaux de la même couleur que les harnais de son
traîneau et à passer la ligne d'arrivée. Tala propose à Chloé
et Lucas de courir avec elle, et ils acceptent avec joie !

Tous les concurrents sont sur la ligne de départ.
Attention ! Prêts ? Partez ! Plusieurs chemins sont
possibles, il faut bien choisir !

DEPART

VRAI ou FAUX ?

Le pôle Nord, qu'on appelle aussi l'Arctique, est un continent.

Réponse : FAUX ! Ce n'est pas un continent car il n'est pas fait de terre : l'Arctique n'est qu'un énorme bloc de glace qui flotte. L'Antarctique, ou pôle Sud, lui, est bien un continent.

Tala décide d'aller vers le sud. C'est un bon choix car, au bout de quelques minutes, ils trouvent le premier drapeau !

En continuant leur course, les enfants aperçoivent
au loin une maman ourse avec son petit. Pour l'éviter,
Tala dirige ses chiens vers la droite.

RECORD !
Quand il se dresse sur ses pattes arrière, l'OURS BLANC, aussi appelé « ours polaire », peut mesurer plus de 3 mètres de haut !

Le traîneau dérape alors sur une plaque de glace.
Les chiens aboient et, soudain, catastrophe !
L'un d'eux se détache et s'enfuit.

Le chien court à perdre haleine, attiré par une colonie de pingouins sur la falaise. Vite, il faut absolument le rattraper !

Je n'ai jamais vu autant de pingouins !

C'est la saison des amours chez les pingouins. C'est pour ça qu'ils sont tous sur la banquise.

DEVINETTE

Connais-tu la différence entre les pingouins et les manchots ?

Réponse : Les pingouins vivent au pôle Nord et peuvent voler, alors que les manchots vivent au pôle Sud et ne volent pas.

Les trois amis tentent alors d'encercler le husky excité par toute cette agitation.

Pfiou ! Lucas réussit enfin à attraper Mako.
Tala le rattache à l'attelage et fait repartir le traîneau.

LE SAIS-TU ?

Les LIÈVRES ARCTIQUES changent de couleur de pelage : ils sont brun-gris en été et blancs en hiver. Ainsi, ils peuvent mieux se camoufler dans le paysage !

Tout à coup, Chloé pousse un cri : elle vient de voir les deuxièmes drapeaux au loin, plantés dans la neige, youpi !

Les enfants continuent leur chemin à la recherche
du troisième drapeau. Ils voient alors une baleine surgir

la baleine boréale

C'est un énorme mammifère :
imagine un animal de 16 mètres
de long et lourd comme 70 voitures !
Pour se protéger des eaux
froides de l'océan Arctique,
elle a une couche de graisse
d'au moins 40 cm sous la peau !

hors de l'eau. Elle reprend sa respiration avant
de replonger. Son gigantesque corps semble danser.

Le traîneau poursuit sa route, mais les petits aventuriers
ne savent plus trop dans quelle direction aller pour trouver
le troisième drapeau. Ils passent près d'une aire de jeux

Doucement,
Mako !
Hi, hi !

LE SAIS-TU ?

En langue inuite, « IGLOO »
veut dire maison. Autrefois,
les chasseurs les construisaient
avec des blocs de neige
pour s'abriter pendant l'hiver.
Aujourd'hui, ils servent plus
aux loisirs qu'à l'habitation.

où des enfants s'amusent à construire des igloos.
Une femme leur indique qu'elle a vu des drapeaux
juste à côté, derrière la montagne.

Ce phoque n'arrive pas à remonter avec le courant ! Aidons-le, Lucas !

Et de trois !

Les enfants aperçoivent enfin les drapeaux quand Tala arrête le traîneau tout net : elle a repéré un bébé phoque en difficulté. Elle se penche pour le hisser hors de l'eau.

LE SAIS-TU ?

Les bébés PHOQUES sont tout blancs, c'est pour ça qu'on les appelle les « blanchons ». À l'âge adulte, leur pelage change de couleur et devient gris.

C'est bon, le blanchon est sauvé !
Chloé attrape le drapeau rouge, et l'attelage repart vite car des concurrents ont dû les dépasser !

Enfin les derniers drapeaux apparaissent à l'horizon.
Oh non ! Un autre candidat est sur le point de les doubler !
Mako accélère, entraînant avec lui les autres chiens.

RECORD !

Le plus grand BONHOMME DE NEIGE au monde a été fait dans le Maine, aux États-Unis. Il mesurait 37 mètres de haut, plus qu'un immeuble de 12 étages !

Tala attrape le drapeau au vol et... hourra !
Ils franchissent la ligne d'arrivée les premiers
avec les quatre drapeaux de la victoire !

Au village, tout le monde s'est réuni autour d'un grand feu
pour fêter la victoire de Tala et de ses amis.

CHERCHE DANS L'IMAGE

3 lampions blancs

1 tambour

5 pingouins

2 maisons rouges

Son père et son grand-père la serrent dans leurs bras :
ils sont si fiers d'elle ! Lucas et Chloé ont passé
une incroyable journée qu'ils n'oublieront pas de si tôt !